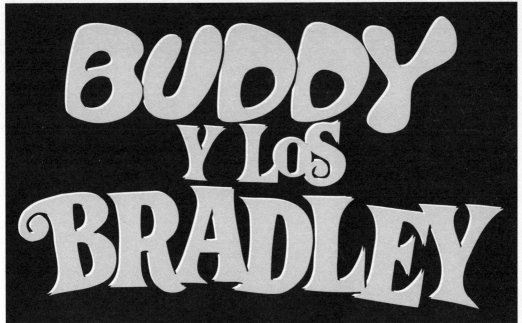

BUDDY Y LOS BRADLEY

PETER BAGGE

AQUELLOS ODIOSOS AÑOS

EDICIONES
La cúpula

BUDDY Y LOS BRADLEY.
AQUELLOS ODIOSOS AÑOS
Título original: THE BRADLEYS

© 2003 PETER BAGGE. All rights reserved. Originally
published in the U.S. by Fantagraphics Books, 7563 Lake
City Way, Seattle, Whashington 98115.
Published by arrangement with Fantagraphics Books.

Todos los derechos reservados para la edición
en lengua hispana:
©2003 EDICIONES LA CÚPULA
Plaza Beatas, 3
08003 - BARCELONA

1ª edición diciembre 1997
2ª edición septiembre 1999
3ª edición diciembre 2003

Traducción: Hernán Migoya
Rotulación: Joan Mulero

Imprime: LIFUSA
D.L.: B-42301-2003
I.S.B.N.: 84-7833-351-7

¡JOLINES, SI SON...

¡LOS BRADLEY!

en "PEQUEÑOS AYUDANTES DE MAMÁ"

¡VENID AQUÍ, CHICOS! ¡¡VUESTRA MADRE TIENE UNA COSA QUE DECIROS!!

© 1984 by PETER BAGGE

¿QUÉ ES, MAMÁ?

¿TE VAS A MORIR, O ALGO?

¡NO, PERO ES SERIO!

LA CUESTIÓN ES QUE COMO ÚLTIMAMENTE VAMOS JUSTOS DE DINERO, HE DECIDIDO COGER UN TRABAJO.

¡OH, NO!

¿QUIÉN NOS HARÁ LA COMIDA?

¿QUIÉN LAVARÁ MIS BRAGUITAS?

¡VALE! ¡VALE! ¡BASTA DE QUEJARSE Y LLORIQUEAR! ¡NO SOIS UNOS NIÑOS! ¡YA SOIS GRANDECITOS PARA CUIDAR DE VOSOTROS MISMOS! ADEMÁS, ES HORA DE QUE APRENDÁIS QUE LA VIDA NO ES GRATIS Y QUE CADA UNO TIENE QUE APECHUGAR CON LO SUYO. ¡ASÍ QUE ESPERO QUE ESTÉIS CALLADITOS Y ME AYUDÉIS!

SÍ, MAMÁ.

SE INTENTARÁ.

¡...Y COMO NO LA AYUDÉIS, OS MATO!

1 HORA DESPUÉS... ...AAAAH... CREO QUE NO DEBERÍAMOS HABER EMPEZADO LA TERCERA CAJA...

UN PLÁTANO, DOS PLÁTANOS, TRES PLÁTANOS, CUATRO...

¡ERUCTO!

¡EY, PALURDO! ¡¿QUÉ HACES TIRANDO TODAS LAS PALOMITAS POR EL SUELO!?

¡¡VACIAR LA TAZA PARA DEVOLVER DENTRO!!

HRRORP!

¡VAYA, QUIÉN ESTÁ AQUÍ!

¡OUGH!

¡HAS LLEGADO JUSTO A TIEMPO! ¡AHORA ESPABILA Y HAZNOS LA CENA!

¿¡POR QUÉ YO!?

¡PORQUE NOSOTROS YA HEMOS HECHO NUESTRA PARTE DEL TRABAJO!

¡¡Y QUE LO DIGAS!! ¡ESTO ESTÁ HECHO UNA POCILGA!

¿Y SU PARTE CUÁL ERA, ECHAR A PERDER LA ALFOMBRA?

¡ÉL ME AYUDÓ A FREGAR LOS PLATOS!

¡Y ADEMÁS, LA COCINA ES COSA DE MUJERES! ¡ASÍ QUE A COCINAR!

¡OH, SEÑOR! ¡AHORA SÍ QUE TE PUEDES IR OLVIDANDO DE QUE YO COCINE PARA BASURA COMO TÚ! ¡SI ME LO HUBIERAS PEDIDO BIEN...

ASÍ QUE NO QUIERES AYUDAR, ¿EH...?

¡EH! ¡¡¿DE QUÉ VAS?!!

¡LARGO Y NO VUELVAS, MATADA!

!

¡PATADÓN!

¡BUDDY! ¡¡DÉJAME ENTRAR!!

BAM! BAM! BAM! BAM! BAM! BAM!

¿QUIÉN ES? ¿QUÉ PASA?

¡BUTCH! ¡PORFA, DÉJAME PASAR DENTRO!

7

¡ESTÁ CERRADO!

¡NO TE HAGAS EL GRACIOSO Y ABRE LA PUERTA!

¡NADIE PUEDE ENTRAR EN EL CASTILLO DE GREYSKULL SIN DECIR LA CONTRASEÑA!

¡¡ABRE LA PUERTA O LA TIRO ABAJO!!

¡¡SOCORRO!! ¡NOS ESTÁN SITIANDO! ¡LLAMAD A HE-MAN! ¡¡LISTOS PARA LUCHAR!!

¡VUELVE A LAS PROFUNDIDADES DEL AVERNO, BÁRBARO!

¡EH! ¡¡QUÉ HACES CON MI ESTUCHE NUEVO DE MAQUILLAJE!!

¡OH DIOS MÍO!

SMASH!

¡¡BOMBAS FUERA!!

¡MIS TAMPONES! ¡QUÉ HUMILLANTE!

¡LARGO! ¡FUERA HE DICHO!

¡MI TOCADOR! ¡¡SE ACABÓ!!

CRASH!

BASH!

ZOOM!

¡EH! ¿ADÓNDE HA IDO?

¡MIRA DETRÁS TUYO, ENANO!

¡¡¡SOCORRO, MAMÁ!!!

MAMÁ NO ESTÁ, ¿RECUERDAS?

¡BUDDY! ¡HE-MAN! ¡VECINOS DE ENFRENTE! ¡DIOS! ¡QUIEN SEA! ¡¡¡SOCORRO!!!

"¡BOMBAS FUERA!" ¡JE, JE, JE!

MIENTRAS...

¡...PARECE QUE VOY A TENER QUE HACERME YO LA CENA!

¡CAGONDIÓS!

¡LA COMIDA ESTÁ SERVIDA!

ME HARÉ ESTA CARNE, PERO CREO QUE PRIMERO TENGO QUE PONERLE ALGO A LA SARTÉN.

CARNE PICADA

¡LE METERÉ ESTA MANTECA DE CERDO!

¡SALPICAR!

¡ROCIAR!

¡OH-OH, SE ME HA SALTADO AL FUEGO!

¡NO PUEDO APAGARLO!

¡SPLASH!

¡CREPITAR! ¡INFLAMAR!

...EH... CREO QUE TENEMOS UN PEQUEÑO PROBLEMA AQUÍ...

Y ASÍ...

¡SEÑOR, QUÉ DÍA! QUÉ GANAS TENÍA DE VOLVER A CASA Y...

¿¡¿QUÉ...?!?

FIN

10

11

¿"ROCK BRITÁNICO"? ¿O SEA, LOS BEATLES Y LOS STONES?

PFÉ. MÁS BIEN LOS ANIMALS, HOLLIES, ZOMBIES, DAVE CLARK FIVE Y UN MONTÓN MÁS DE GRUPOS MALDITOS. EL MEJOR ROCK'N'ROLL DE LA HISTORIA.

¿CREES QUE ME GUSTARÁN, ENTONCES?

BUENO, NO DIGO QUE TENGAS QUE IR Y COMPRARTE TODO LO QUE HAN HECHO, PERO YO NO ME PERDERÍA UN RECOPILATORIO DE "GRANDES ÉXITOS".

Y SEGURAMENTE ENCONTRARÁS UNO MUCHO MÁS TIRADO EN UNA TIENDA DE 2ª MANO. HAY UNA EN EL CENTRO LLAMADA "TIEMPOS DORADOS". TIENEN DE TODO... ¡Y BARATO!

AH, ¿SÍ? ¡GRACIAS!

TÍO, ¿POR QUÉ HABLABAS CON ESE YONQUI?

¿CÓMO SABES QUE ES YONQUI?

¿PERO LE HAS VISTO LA PINTA? ¡ADEMÁS, SIEMPRE LE VEO DANDO VUELTAS POR EL CENTRO!

¡ANDA, HOMBRE!

¿TE VAS A COMPRAR ENTONCES EL DISCO, AHORA QUE TIENE EL "CERTIFICADO DE GARANTÍA YONQUI"?

¡HOY NO TENGO PARA NINGÚN DISCO, ASÍ QUE PASO!

CLÁSICOS

CLÁSICOS

¡SOLTAR!

¡PUES YO SÍ ME COMPRO ÉSTE!

Duran Duran

¿...PODEMOS OÍRLO EN TU CASA, QUE QUEDA MÁS CERCA? ¡ME MUERO POR OÍRLO!

SÍ, HOMBRE.

LUEGO, EN LA "SALA FAMILIAR" DE LOS BRADLEY...

BUTCH, ¿QUÉ HACES AHÍ?

PARAÍSO DE UN NIÑO

¡BABEAR!

VIENDO LA TELE. ¿QUÉ TE CREES QUE ESTOY HACIENDO?

♪ GO SPEED RACER... ♪

16

17

MIRARÉ POR AQUÍ UN RATO... A VER QUÉ MÁS TIENEN...

CUATRO HORAS DESPUÉS...

¡JOBA! ¡QUÉ TARDE! ¡TENGO QUE VOLVER YA!

¡OH, MIERDA! ¡ESTÁ LLOVIENDO!

Tiempos dorados

LLAMARÉ A PAPÁ PARA QUE VENGA A BUSCARME...

¿QUÉ DIGO? ¡¡¡A ESTAS HORAS YA QUERRÁ MATARME!!! ¡ME PARECE QUE VOY A TENER QUE VOLVER A PATA!

¡MALDICIÓN!

¡@#$%Z!!!

¡BUENO, YA HE VUELTO A ESTA CASA DE LOCOS!

NO HAY MOROS EN LA COSTA, PARECE.

U.S. MAIL

los Bradley

ESPERO QUE NADIE ME VEA ENTRAR...

¡EJEM!

¡GLUPS!

¿NO CREES QUE LO TUYO ES MUY GRAVE PARA FALTAR A LA CENA Y ANDAR BAJO LA LLUVIA SÓLO PARA COMPRAR UNA TONTERÍA DE DISCO?

TENÍA QUE SALIR DE CASA. ESO ES TODO.

¡SÍ, YA SÉ POR QUÉ TENÍAS QUE SALIR DE CASA.! ¡TU PADRE SE HA SUBIDO POR LAS PAREDES CUANDO HA VISTO SUS DISCOS TODOS REVUELTOS POR EL SUELO.! ¡TIENES SUERTE DE QUE YA ESTÉ DURMIENDO O TE IBAS A ENTERAR.! ¡PARA EMPEZAR, NO PODRÁS VOLVER A USAR LA CADENA DE TU PADRE!

YA VES, QUÉ TRAGEDIA.

¡Y TAMPOCO TE HE GUARDADO LA CENA ESTA VEZ, PARA QUE TE SIRVA DE LECCIÓN!

SÍ, QUÉ LECCIÓN TAN CRUEL.

¡Y TÚ SIGUE EN ESE PLAN, QUE YA VERÁS, AMIGUETE!

NO MOLES

FUER

ME REFIE A TI

¿¡QUÉ ESTÁS HACIENDO AQUÍ DENTRO.!?

¡¿EH?! ¡OH! ¡NADA! ¡DE VERDAD, BUDDY! ¡NO HE TOCADO NADA!

¡FUERA!

¡YIAUH!¡AHORA SÍ LO VOY A DECIR, FEO GORDO APESTOSO!

¡PATADA!

¡PORTAZO!

CLICK!

¡JODIDA FAMILIA DE MIERDA!

¡CÓMO LOS ODIO!

¡¡LOS ODIO A TODOS.!!

¡QUÉ MIERDA DE VIDA!

¡EY, ESTE DISCO ESTÁ DE PUTA MADRE!

FIN, TÍO

19

21

22

23

¡¡GRRR!!

¡IMPACTO!

¡BUDDY BRADLEY, SE TE DECLARA CULPABLE DE SER MAL HERMANO Y UN MENTIROSO GORDO Y DE TENER AMIGOS IDIOTAS Y MIERDOSOS! Y TOM TOWSKI, SE TE DECLARA CULPABLE DE SER EL AMIGO IDIOTA Y MIERDOSO DE BUDDY BRADLEY Y DE SER UN MENTIROSO ¡¡¡ AÚN MÁS GORDO!!!

¡Y OS SENTENCIO A LOS DOS A SER CHAFADOS HASTA LA MUERTE POR UNA ROCA GIGANTE!

¡CHAFAR! ¡CHAFAR! ¡CHAFAR!

UNA HORA DESPUÉS...

¡... RESUELLO RESUELLO RESUELLO ...!

♪

...YANKEE DOODLE WENT TO TOWN... ♪

¡EY, AHÍ ESTÁ EARL!

26

¡TÍO, ESTO ES **BOCHORNOSO**, TENER UNA HERMANA PEQUEÑA QUE ES TAN IMBÉCIL QUE HAY QUE ATARLA A UN ÁRBOL!

OOOH... BONITO...

¡¡POR MÍ LA **PODÍA ATROPELLAR** UN **COCHE**!! ¡O QUE LA **SECUESTRARAN**! ¡AL MENOS ASÍ MI MADRE DEJARÍA DE PREOCUPARSE TODO EL RATO Y YO PODRÍA **JUGAR A BÉISBOL**!

¡SABES, LO PEOR ES QUE MIS VIEJOS ESPERAN QUE **JUEGUE** CON ELLA, PERO ES TAN **IDIOTA** QUE SÓLO SABE JUGAR A **COSAS ABURRIDAS**!

¡EH, YO SÉ A ALGO QUE PODEMOS JUGAR CON ELLA!¡ ¡Y ES SÚPER **DIVERTIDO**, ADEMÁS!

ZZZZZz...

¡¿BROMEAS?! ¿CÓMO PUEDE SER DIVERTIDO PARA **NOSOTROS**?

TÚ MIRA...

OYE, EDNA, ¡¡¿TE GUSTARÍA TENER **TODAS LAS MUÑECAS DEL MUNDO**?!!

¡SÍ!! ¡DAME!

ETC...ETC...

27

LOS JÓVENES BRADLEY

en

"AMOR FRATERNAL"

UNA IDEA "GUAPA", ¿EH? ¿TE GUSTARÍA INFECTARTE UN VIRUS SÓLO PARA AYUDAR A LOS MILITARES?

¡CLARO! ¡Y INVENTARÍA UNA BOMBA QUE VOLARA TODA RUSIA!

¡YA PODEMOS VOLAR TODA RUSIA!

¡PUES ENTONCES INVENTARÍA UNA MÁS GRANDE AÚN! ¡UNA MEJOR! ¡UNA QUE LOS BORRARA DEL MAPA EN DOS SEGUNDOS!

¡KA-BOUM!

GUAU, ESO SERÍA TODA UNA HAZAÑA. A LO MEJOR TE DABA UNA MEDALLA EL PAPA Y TODO.

SEGURO. ¿POR QUÉ NO? LOS COMUNISTAS SON LOS MALOS, ¿NO? ¡CUANTO ANTES SE LES MATE MEJOR!

EH, BUDDY, ¿SABES QUÉ ESTOY LEYENDO YO?

¡UN LIBRO SOBRE LA GUERRA CIVIL!

LA GUERRA CIVIL

¡ABRAHAM LINCOLN FUE EL MÁS GRANDE PRESIDENTE QUE HA EXISTIDO!

¡MIRA, ME IMPORTA UNA MIERDA ABRAHAM LINCOLN! ¡Y LA GUERRA CIVIL FUE TODA UN MONTAJE!

LA GUERRA CIVIL

¡NO FUE UN MONTAJE! ¡EL NORTE LIBERÓ A LOS ESCLAVOS Y SALVÓ A LA UNIÓN! ¡AQUÍ LO DICE!

Y así, el Norte liberó a los esclavos y salvó a la Unión.

FIN

© 1963 Juventud Zombi Ediciones

¡PUES QUÉ BIEN!

¡EL SUR PODÍA ABANDONAR LA UNIÓN CUANDO QUISIERA, Y AL NORTE LE SUDABAN LA POLLA LOS PUTOS ESCLAVOS! ¡SÓLO QUERÍAN IMPONERSE AL SUR: ESO ES LO QUE HAY!

¡¡¡NO!!!... ¡NO ES VERDAD! ¡MENTIROSO! ¡ANTIAMERICANO! ¡ERES UN COMUNISTA!

LAS OREJAS LE ARDEN DE ESCUCHAR SEMEJANTE HEREJÍA

PREFIERO SER COMUNISTA QUE LO QUE TÚ ERES.

AH, ¿SÍ? ¿Y QUÉ SOY YO?

¡YO NO SOY UN SIDOSO! ¡EL SIDOSO LO ERES TÚ!

EY, TÚ ERES EL QUE DICE QUE TENER UN VIRUS ES "GUAPO"!

¡NO, YO NO! ¡TÚ ERES EL QUE ESTÁ INFECTADO! ¡TÚ ERES EL SIDOSO!

¡SIDOSO! ¡SIDOSO! ¡SIDOSO!

¡SANTO DIOS!

¡AAUH!

¡CACHETE!

30

¡AYAYAY! ¿CÓMO ME HE LIADO EN ESTO?

VAYA MUERMO LO DE LANZAR. ME ESTOY MURIENDO DE ABURRIMIENTO.

¡¿PERO DE QUÉ VAS?! ¡¿QUIERES DEJAR DE LANZARLA COMO SI FUERAS SUBNORMAL!

¡NO LO HAGO COMO UN SUBNORMAL! ¡¡¡TÚ SÍ!!!

¡TOMA, COGE ÉSTA! ¡SO SUBNORMAL!

PERO QUÉ...

¡VALE, ENTERADO! ¡AHORA YA VAS TÚ A POR ELLA!

¡NO! ¡TIENES QUE IR TÚ! ¡SON TUS REGLAS!

¿QUÉ "REGLAS"?

¿TE ACUERDAS LA ÚLTIMA VEZ QUE JUGAMOS Y TÚ LA TIRABAS SÚPER MAL? ¡Y TÚ DIJISTE QUE EL CATCHER SIEMPRE TIENE QUE IR A POR ELLA AUNQUE LA TIREN MAL!

¡ASÍ QUE TE TOCA COGERLA, EN-TE-RA-DO!

DIOS MÍO, ES VERDAD, YO INVENTÉ ESA ESTÚPIDA REGLA.

¡VALE, AHORA A VER SI ERES CAPAZ DE LANZARLA DESDE AHÍ!

¡VENGA, VAMOS! ¡WHOA, WHOA!

¡DEJA DE PERDER EL TIEMPO!

33

¿Q-QUÉ PASA? ¡LÁNZALA YA! ¿P-POR QUÉ TE ACERCAS TANTO?

¿QUIERES QUE LA LANCE? ¡¡¡PUES LA VOY A LANZAR!!! TEN...

¡...CÓGELA!

¡¡¡EH!!! ¡SE VA A CAER POR TODA LA CUESTA!

¡PUES YA PUEDES EMPEZAR A CORRER, CHAVAL! ¡YA SABES LA "REGLA"!

¡CABRONAZO!

¡JUA JUA JUA! ¡ENANO CRETINO!

¡SUPONGO QUE ME PASO UN POCO CON ÉL, PERO NO PUEDO EVITARLO. ¡ME PARTO TANTO EL CULO CUANDO LO CABREO!

ESO LE PASA POR SER UN ENANO RABIOSO Y PLASTA.

¡PEQUEÑO FASCISTILLA!

¡VAYA, VAYA, MIRA QUIÉN VIENE AQUÍ DESDE PERNAMBUCO! ¿HAS DISFRUTADO DEL VIAJE? JE JE JE...

¿ESTÁS LISTO PARA JUGAR OTRA VEZ? A MÍ ME ENCANTA ESTE JUEGO, ¿A TI NO? ¡ES TAN DIVERTIDO!

¡¡¡TOMA, COGE ÉSTA!!!

¡EH! ¡ESO ES UNA PIEDRA!

¡SE ACABÓ! ¡ESTA VEZ SÍ TE MATO!

¡OH-OH!

¡POR MUCHO QUE TE ESCONDAS EN CASA, TE VOY A ENCONTRAR DE TODAS FORMAS!

¿DÓNDE ME ESCONDO? ¿DÓNDE ME ESCONDO?

¡... EL HORNO!

¡OOOH! EL NIÑO SE ESCONDE EN EL HORNO, ¿EH?

¡OH-NO!

¡BUENO, POR MÍ PUEDE QUEDARSE AHÍ TODA LA VIDA!

¡EH! ¡DÉJAME SALIR!

¡PORTAZO!

¡HE CAMBIADO DE IDEA! ¡QUIERO ESCONDERME EN OTRO SITIO!

¡DEMASIADO TARDE PARA CAMBIAR DE SITIO, CHAVAL! ADEMÁS, ¿SEGURO QUE NO HAY TAMBIÉN UNA "REGLA" PARA ESO?

¡EH! HUELO A GAS! N-NO LO HABRÁS ENCENDIDO, ¿N-NO, BUDDY?

¡VENGA YA! ¿CÓMO IBA A HACERLE YO ALGO ASÍ A MI PROPIO HERMANO?

JE JE JE...

BROIL 400° 300° 200°

OFF

HHSSSS

¡¡¡AYYUUUUH!!!

¡HALA! ¡AHÍ VA!

¡FASHOOM!

35

¿INTENTAS INSINUAR QUE MI PEQUEÑA TRAVESURA INOFENSIVA ES TAN GRAVE COMO LO QUE ME ACABAS DE HACER?

¿INOFENSIVA? ¡MIRA MIS PANTALONES!

¡Y ENCIMA ESA "CUCHILLADA" ES SÓLO UN CORTECITO!

HMMMM... ESOS PANTALONES TIENEN MALA PINTA, SÍ...

¡Y QUE LO DIGAS! ¡YO DIRÍA QUE ESTÁS EN UN LÍO MAYOR QUE YO!

ESPERA, ESPERA. TENGO UNA IDEA. POR QUÉ NO OCULTAMOS LA "EVIDENCIA" Y HACEMOS COMO SI NADA HUBIERA PASADO. ASÍ LOS DOS NOS EVITAMOS UN MONTÓN DE LÍOS.

HMMMM...

¿QUÉ DICES? ¿TRATO HECHO?

¡VALE! ¡TRATO HECHO!

Y ASÍ...

HOLA, CHICOS. ¿ALGUNA NOVEDAD QUE DEBA SABER?

NO. HA SIDO UN DÍA DE LO MÁS TRANQUILO.

¡VAYA, ME ALEGRA OÍR ESO, PARA VARIAR!

¡TAMBIÉN ME ALEGRA VEROS A LOS DOS JUGANDO PACÍFICAMENTE! ¡YA ERA HORA DE QUE EMPEZARAIS A COMPORTAROS COMO HERMANOS!

... VOY ARRIBA A CAMBIARME ...

VAYA, PARECE QUE LE HEMOS ENGAÑADO BASTANTE BIEN, ¿EH, SOCIO?

¡SÍ! ¡PASÓ EL PELIGRO!

¡PALMADA!

¿QUÉ DEMONIOS LE HA PASADO A LA PUERTA DEL BAÑO?

EL ABSURDO FINAL

37

La **FAMILIA BRADLEY** en

¡MAMÁ AL PODER!

©1986 BY PETER BAGGE

> OPERADORA, ¿PUEDO AYUDARLE?

> OPERADORA, ¿PUEDO AYUDARLE?

> OPERADORA, ¿PUEDO AYUDARLE?

> OPERADORA, ¿PUEDO AYUDARLE?

> ¡ESTO ES HORROROSO!

¿SÍ, SEÑORITA? S-SIENTO MOLESTARLA, PERO ES QUE NO TENGO NADIE MÁS CON QUIEN HABLAR (¡SOLLOZO!) ... ¡ESTOY TAN DEPRIMIDO QUE ME VOY A MATAR! (¡AHOGO!)

¡¿QUÉ?! ¡OH, NO! ¡POR FAVOR, NO LO HAGA!

¿POR QUÉ NO? (¡MOQUEAR!) ¡NO TENGO A NADIE! (¡SORBER!) ¡NADIE QUE ME AYUDE EN MI DESESPERACIÓN! (¡SONAR!)

¡YO LE AYUDARÉ! ¡DÍGAME QUÉ QUIERE QUE HAGA Y LO HARÉ!

¡OH, DIOS BENDITO, SALVA A ESTA POBRE ALMA!

¿LO DICE (¡SOLLOZO!) EN SERIO?

¡SÍ! ¡HARÉ LO QUE USTED QUIERA! ¡PERO POR FAVOR NO SE MATE!

OH (¡SOLLOZO!) ... BUENO, EN ESE CASO (¡MOQUEAR!) ... NO SABE CUANTO DESEARÍA QUE ME...

¡¡HUELA LOS PIES!!
¡JUA JUA JUA JUA! (¡CLICK!)

◎#☁Z!!

¿QUÉ PASA, BETTY?

OH, OTRO GRACIOSO ME HA TOMADO EL PELO.

VAYA NOVEDAD. ANDA, VAMOS A TOMAR EL CAFÉ DEL DESCANSO Y COMENTAMOS LA JUGADA.

ODIO TANTO ESTE TRABAJO, PERO ES EL MEJOR PAGADO AL QUE PUEDO ASPIRAR, ASÍ QUE ME DA MIEDO DEJARLO. ADEMÁS, REALMENTE NECESITAMOS EL DINERO.

A MÍ ME PASA LO MISMO, QUERIDA. PERO HAY QUE JODERSE Y SEGUIR ADELANTE.

BUENO, SUPONGO QUE SOY AFORTUNADA POR TENER UN MARIDO QUE PUEDE MANTENER A SU FAMILIA. SÓLO TRABAJO POR HACER ALGO Y GANAR UN DINERILLO EXTRA.

BUENO, ENTONCES, ¿POR QUÉ HOSTIAS TRABAJAS AQUÍ?

PORQUE, COMO VOSOTRAS, ES LO MEJOR QUE PUEDO CONSEGUIR... ¡O ERA! ¡A FINAL DE MES LO DEJO PARA HACERME **VENDEDORA DE MARY KAY!**

¿MARY KAY? ¿QUIERES DECIR QUE GANARÁS DINERO CON ESO?

¡¿DINERO?! MIRA, QUERIDÍSIMA, ¡SÓLO SE NECESITA FE EN EL PRODUCTO Y EN TI MISMA. ¡EL RESTO ESTÁ CHUPADO! TEN EL TELÉFONO DEL REPRESENTANTE LOCAL, POR SI TE INTERESA.

BUENO, LO PENSARÉ... ¡BAH, ESO DE MARY KAY ES **PARA PARDILLOS**, OTRA SECTA, COMO LA MOON.

SUSPIRO OPERADORA. ¿PUEDO AYUDARLE?

¡ESCUCHE, SEÑORITA, TENGO QUE HABLAR CON **ALGUIEN**. ¡ESTOY A PUNTO DE SUICIDARME!

AH, ¿SÍ? ¡¡¡¡PUES HÁGAME UN FAVOR Y **SONRÍA ANTES DE SALTAR!!!!**
(¡CLICK!)

¡VAMOS, CHICAS, HORA DE VOLVER A LAS GALERAS!

YA EN CASA...

¡LLEGAS TARDE OTRA VEZ!

¡¿Y MI CENA?!

¡ME MUERO DE HAMBRE!

¡VAS A HACERME PERDER EL PROGRAMA!

¿NO PUEDES ESPERAR NI A QUE ENTRE POR ESA PUERTA PARA EMPEZAR A QUEJARTE?

¿DÓNDE HAS METIDO MIS ZAPATILLAS?

¿POR QUÉ NUNCA ENCUENTRO NADA?

¡BUENO, DA LA CASUALIDAD DE QUE TENGO UN MONTÓN DE COSAS PARA QUEJARME!

¡DESDE QUE EMPEZASTE A TRABAJAR ESTA CASA SE CAE A PEDAZOS! ¡¿LO SABÍAS?!

¡LO SÉ! ¡LO SÉ!

¿PERO QUÉ QUIERES QUE HAGA? TRABAJO TANTAS HORAS COMO TÚ, Y NO PODEMOS PERMITIRNOS QUE YO NO TRABAJE...

¡OH, GENIAL! ¡VUELVE A PASARME POR LA CARA QUE NO SOY UN BUEN CABEZA DE FAMILIA! ¡SIEMPRE LO ACABAS SACANDO...

¡¡¡BASTA!!! ¡YA ESTÁ BIEN! ¡YA ME PONGO A HACER LA CENA, ASÍ QUE PARA DE BERREAR! SIEMPRE DANDO VOCES COMO UN CRÍO...@#.!¿?!#...

¡NO BERREARÍA SI TUVIERAS LA CENA LISTA! ¡¡MALDITA MARIMANDONA QUEJICA @#G€...!!

¡CRISTO! NO PUEDO NI SENTARME Y DESCANSAR UN POCO QUE YA TENGO QUE HACER LA CENA...

¡BUD! ¡¿QUÉ ESTÁS HACIENDO?!

¡COMIÉNDOME UN DONUT! ¿QUÉ PASA?

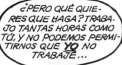

¡VOY A HACER LA CENA YA Y LUEGO NO VAS A TENER HAMBRE!

¡HOSTIA, MAMÁ, ES QUE LLEGAS A CASA TAN TARDE QUE NO PUEDO AGUANTARME! ADEMÁS, VOY A SALIR CON LOS AMIGOS, ASÍ QUE SI ME DA MÁS HAMBRE YA ME PILLARÉ UNA HAMBURGUESA EN EL Mc DONALDS.

ASÍ QUE A "SALIR CON LOS AMIGOS" OTRA VEZ, ¿NO? ¿NO ES YA LA *TERCERA NOCHE ESTA SEMANA* QUE SALES? ¿NO PUEDES QUEDARTE EN CASA NI UNA VEZ CON TU FAMILIA?

¿QUÉ PASA, ECHÁIS DE MENOS MI COMPAÑÍA? LO DUDO.

¡ÉSA NO ES LA CUESTIÓN! LO QUE TE DIGO ES QUE ÚLTIMAMENTE SÓLO HAS ESTADO COMIENDO BASURA, Y TAMPOCO HACES LOS DEBERES, TUS NOTAS CADA VEZ SON PEORES...

¡AY, SEÑOR, YA ESTAMOS OTRA VEZ!

¡JO QUÉ GUAPO! ¡DONUTS PARA CENAR!

¡NI SE TE *OCURRA* TOCAR ESOS DONUTS! ¡ESTA NOCHE CENAMOS SPAGHETTIS Y LUEGO NO VAS A TENER HAMBRE!

¡EH!

¡PERO BUDDY ESTÁ COMIENDO! ¿¡POR QUÉ ÉL SÍ PUEDE Y YO NO!?

SUSPIRO POR-QUE BUDDY NO VA A CENAR CON NOSO-TROS ESTA NOCHE, ¡TAMPOCO!

¡PUES ENTONCES YO TAMPOCO CENO CON VOSOTROS ESTA NO-CHE! ¿¡QUIÉN VA A QUERER UNOS *SPA-GHETTIS SOSOS!* ¿EH, BUDDY?

¡BUTCH! ¿¡QUÉ TE ACABO DE DECIR!?

EH, ESTO...

¡CACHÉTE!

¡¡AUH!!

¡BUAAUAAA! ¿¡POR QUÉ BUDDY Y BABS PUEDEN COMER LO QUE QUIERAN PERO YO NO!? BUAAAAA...

¡ESO NO ES VERDAD, BUTCH! ¡ADEMÁS, YO NO VEO QUE BABS COMA AN-TES DE CENAR!

¡JA! ¡BABS ES LA PEOR! ¡ÉSA NUNCA COME ENTRE COMIDAS!

¿Y QUÉ TIENE ESO DE MALO? NO TE ENTIENDO.

¡SÍ!

BUENO, HACE TIEMPO QUE QUERÍAMOS DECÍRTELO, MAMÁ... ¡VERÁS, COMO COJAMOS ALGO DE LA NEVERA QUE ELLA DIGA QUE ES SUYO, SE PONE HECHA *UNA FURIA*!

¡SI!

¿Y? ¡NO LO HAGÁIS Y YA ESTÁ!

¡PERO SI NO LO COMEMOS, *NADIE LO COME*!

SÍ. ¡SABES, HICIMOS UN EXPERIMENTO LA SEMANA PASADA, QUE BABS PUSO UN TROZO DE SANDÍA EN LA NEVERA Y NOS DIJO QUE NO LO TOCÁRAMOS, ASÍ QUE NO LO HICIMOS, PERO *ELLA TAMPOCO LO HIZO* Y LA SANDÍA SE PUDRIÓ!

¡AHÍ TIENES LA PRUEBA DE QUE ELLA NO COME SUS COSAS SÓLO PARA *FASTIDIARNOS*!

NO PUEDO CREER QUE ESTÉ ESCUCHANDO ESTO.

¡EY, SI NO *LO* CREES, ESPERA A OÍR TODAS LAS *DEMÁS* COSAS QUE HACE!

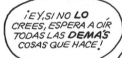

¡SI! ¡PENSAMOS QUE TIENES QUE *CASTIGARLA MÁS*!

OH, ESO PENSÁIS, ¿EH?

¡SI! ¡ESA NECESITA QUE LA *PONGAN A RAYA*!

¿"QUE LA PONGAN A RAYA"?

EXACTO. ¡PAPÁ DICE QUE ES IMPORTANTE DARLE UN SOPAPO DE VEZ EN CUANDO A LAS TÍAS PARA QUE SEPAN *CUÁL ES SU SITIO*!

¿¡¿QUE DICE *QUÉ*?!?

E-ÉL DICE QUE POR ESO DIOS HIZO A LOS HOMBRES MÁS FUERTES... ¡PARA *PONERLAS A RAYA*!

¡SI! ¡¡Y ENSEÑARLES QUIÉN MANDA!!

OH, ESO DICE, ¿EH? ¡BUENO, PUES YA PODÉIS *OLVIDAR* LO QUE VUESTRO PADRE OS HA DICHO DE *ESE* TEMA PORQUE ESTÁ *EQUIVOCADO*!

¿ESTÁS LLAMANDO A PA *MENTIROSO*, MA?

43

¡NO, NO LE ESTOY LLAMANDO MENTIROSO! ¡SÓLO DIGO QUE NO TENÉIS QUE CREERLE SIEMPRE, POR-QUE A VECES SE EQUIVOCA!

¡A MÍ ME PARECE QUE LE ESTÁS LLA-MANDO MENTIROSO!

SÍ, ¿QUÉ DIFERENCIA HAY?

¡LA DIFERENCIA ES QUE COMO VUELVA A OÍROS HABLAR DE ESA MANERA OS HAGO PICADILLO!

¡JOBA! ¡ESTÁ LOCA!

¡SÁLVESE QUIEN PUEDA!

¡GRRRR!

GRRR... PERO QUÉ DISPA-RATES LES ESTÁ ENSEÑAN-DO A LOS CRÍOS A MIS ES-PALDAS...

¡"...PONERLAS A RAYA"! ¡¡¡ESO YA LO VEREMOS!!!

¡CORTAR!

¡¡¡EH, MAMÁ!!!

¡¿Y AHORA QUÉ?!

¡MAMÁ, TENÍA UN TROZO DE PASTEL EN LA NEVERA Y HA DESAPARECIDO!

¿Y QUÉ ESPE-RABAS? ¡SI ALGUIEN SE ENCUENTRA UN TROZO DE PASTEL EN LA NEVE-RA SE LO VA A COMER!

¡PERO TODOS SABÍAN QUE ERA MÍO PORQUE LE PU-SE MI NOMBRE EN LA TAPA! ¡PERO ESO NO DETUVO A BUD-DY: LO COGIÓ Y SE LO ZAM-PÓ IGUALMENTE!

¿Y CÓMO SABES QUE FUE BUDDY? ¿POR QUÉ SIEMPRE LE ECHAS LAS CULPAS?

¡PORQUE **SIEMPRE** HACE ESE TIPO DE COSAS!

¡LO HACE SÓLO PARA **FASTIDIAR**ME!

¡TIENES QUE **CASTIGARLE**!

¡NO AGUANTO MÁS!

¡NO PUEDO CREERME LA CANTIDAD DE TONTERÍAS QUE TENGO QUE ESCUCHAROS! SI TIENES ALGÚN PROBLEMA CON BUDDY, ¿POR QUÉ NO LO HABLAS CON ÉL? ¡¿POR QUÉ SIEMPRE TENÉIS QUE METERME EN VUESTRAS ESTÚPIDAS PELEAS!?

¡PORQUE ERES LA ÚNICA QUE PUEDE RAZONAR CON BUDDY!

¡¿ESTÁS DICIÉNDOME QUE TE ES IMPOSIBLE HABLAR CON **TU PROPIO HERMANO** COMO UNA PERSONA RACIONAL Y SENSATA?!

¡A MÍ NO ME MIRES, LA CULPA ES DE ELLOS! ¡SON ELLOS LOS QUE SE **NIEGAN** A RAZONAR!

¡"A MÍ NO ME MIRES, LA CULPA ES DE ELLOS"! ¡¡¡VIRGEN SANTA, VIVO CON UNA PANDILLA DE NEANDERTALES!!!

¡SÓLO PENSÁIS EN VOSOTROS MISMOS!

?

¿QUÉ ES UN NEANDERTAL?

¡SOIS UN PUÑADO DE **ZOMBIS** ATONTADOS SUELTOS POR LA CASA, GRITANDO "ALIMENTADME"! ¡"VESTIDME"! ¡"**RESOLVED MIS PROBLEMAS**"!

¡EY, YO NO SOY ASÍ! ¡SON LOS **HOMBRES** LOS QUE SON ASÍ!

¡TODOS SOIS ASÍ"! ¡LO ÚNICO QUE OS IMPORTA ES SABER QUÉ HAY DE CENA!

AH, ESO. ¿QUÉ HAY DE CENA?

¡¡¡¡¡TÚ ERES LO QUE HAY DE CENA SI NO TE VAS AHORA MISMO DE MI VISTA!!!!!!

¡CUIDADO! ¡HAY UNA LOCA SUELTA!

¡ZOOM!

45

46

OH, ESO TE ENCANTARÍA, ¿VERDAD? TÚ ARRASTRÁNDOME POR TODO EL PATIO. ¿DE ESO NO TE PREOCUPARÍA LO QUE IBAN A DECIR LOS VECINOS?

¡GLUPS!

¿PERO POR QUÉ DIANTRES HA PASADO ESTO? ¿SERÁ ALGO QUE YO HE DICHO? ESTO PARECE SERIO... ¡NUNCA LA HABÍA VISTO ASÍ! ¡NO SÉ QUÉ VOY A HACER!

EH, PA, ¿QUÉ LE PASA A MAMÁ? ¡ESTÁ AHÍ AFUERA EN EL PATIO PRIVANDO LA DE DIOS!

CHICOS, ME TEMO QUE VUESTRA MADRE HA PERDIDO LA RAZÓN. ¡NO SÉ QUÉ HEMOS HECHO PARA PROVOCARLO, PERO ESTÁ AHÍ PONIÉNDOSE EN EVIDENCIA EN UN INTENTO DELIBERADO POR HUMILLARNOS!

¡RESPINGO!

¡NUESTRA MADRE LOCA! ¡OH, QUÉ VERGÜENZA! ¡¿CÓMO PODRÉ VOLVER A ASOMAR LA CARA POR LA ESCUELA?!

¡ESO ME PREGUNTO YO HACE AÑOS!

SERÁS ...GRR...

GRRR...

¡DEJADLO YA VOSOTROS DOS! ¡TENEMOS QUE PENSAR JUNTOS UNA MANERA DE HACER QUE ELLA VUELVA A ENTRAR EN CASA!

¡ESTA ES TU TAREA, PAPÁ!

¿MI TAREA?

¡SÍ, EXACTO! ¡ES TU MUJER! ¡¡¡ERES TÚ EL QUE TIENE QUE PONERLA A RAYA!!!

¡ESO! ¡ENSÉÑALE QUIÉN MANDA!

SUSPIRO... DE ACUERDO. ¡A VECES UN HOMBRE TIENE QUE HACER LO QUE TIENE QUE HACER!

¡¡¡DI QUE SÍ, PAPÁ!!!

LA CUESTIÓN ES: ¡CÓMO LO VOY A HACER SIN QUE ME MATE!

¡AY, MIRA, SI AHÍ VIENE EL CAMARERO! ¡GARÇON! ¡OTRA BOTELLA!

VAMOS, CARIÑO, CREO QUE YA ES SUFICIENTE...

¡NO ME DIGAS CUÁNDO ES SUFICIENTE, MERLUZO! ¡¡Y HAZ LO QUE TE DIGO!!

¡VAMOS, DULZURA! ¡ESTÁN DANDO "FALCON CREST"! ¡NUNCA TE PIERDES UN CAPÍTULO!...

¡¡ES UNA JODIDA REPETICIÓN, MALDITO Y PURULENTO RETRASADO MENTAL!!

NO, NO LO ES, AMORCITO, ¡ES UN CAPÍTULO NUEVO! VENGA, VEN...

NO ME MIENTAS, ¡¡Y DEJA MI BRAZO EN PAZ!! DÉJAME O TE...

¡CASCAR!

¡...AUUHHH...! ¡¡¡SE ACABÓ...!!! ¡¡TE VIENES CONMIGO AHORA MISMO...!!

¡JAI JAI JAI!

DA UN SOLO PASO MÁS Y TE REBANO EL PESCUEZO, PEDAZO DE MOCO FOLLACAMELLOS.

¡AHIVÁ! ¡ESTO ES MÁS SERIO DE LO QUE PENSABA!

¡JUA JUA JUA JUA JUA!

¡ESCUCHAD, NIÑOS, CREO QUE HAY QUE RECURRIR A **MEDIDAS DRÁSTICAS**! NOS DESLIZAMOS DETRÁS DE ELLA Y LA ATAMOS. LUEGO LA ENCADENAMOS A LA BACA DEL COCHE Y LA LLEVAMOS AL PRIMER HOSPITAL MENTAL...

¡ESPERA!

¿QUÉ PASA, BUD?

¡NO PODEMOS ATARLA A LA BACA DEL COCHE Y DESCARGARLA EN EL LOQUERO COMO SI NADA! ¡O SEA, ESTAMOS HABLANDO DE NUESTRA **MADRE**! ¡NO ME PARECE QUE ESTÉ **BIEN**!

¡PUES YO DIGO QUE CUANTO **ANTES, MEJOR**! ¡NO PUEDO SOPORTAR ESTA HUMILLACIÓN!

¡PUES DEBERÍAS VERLA **AHORA**! ¡ESTÁ **HABLANDO SOLA**!

¡PANDILLA DE INGRATOS! TRABAJO COMO UNA ESCLAVA PARA ELLOS ¿Y ASÍ **ME LO PAGAN**!?

¡UNOS **PATANES IGNORANTES**, ESO ES LO QUE SON!

¡MALDITOS SEAN TODOS!

¡LA VIRGEN! ¡VALE, VAMOS A ATARLA YA!

¡DE AHORA EN ADELANTE **SE ACABÓ EL SER BUENA**!

¡VALE, A LA DE TRES LE SALTAMOS ENCIMA! ¿PREPARADOS? ... UNA ... DOS ...

@#ⓔ!☆?!

¡...TRES!

¡PEGAR!
¡TROPEZAR!
¡AGARRAR!
¡PAF!
¡PELLIZCAR!
¡GOLPEAR!
¡FORCEJEAR!

¡GLUPS!

51

MIRA, CHAVAL, ERES UN BUEN CLIENTE Y ME ENCANTARÍA AYUDARTE, PERO NO PUEDO.

...SI MÁS ADELANTE **NECESITAMOS** A ALGUIEN, TE PEGAREMOS UN TOQUE. PERO NO TE HAGAS ILUSIONES.

VALE, VALE, PENSÉ QUE POR PROBAR...

POR CIERTO, ¿HABÉIS TRAÍDO ÚLTIMAMENTE ALGÚN DISCO DE LOS **ZOMBIES**?

NO SÉ... A LO MEJOR ... MIRA A VER...

TOMMY

A HARD DAYS NIGHT

GRRR...EL MUY IMBÉCIL NO SABE NI LOS DISCOS QUE TIENE...REFUNFUÑO.... SI LA TIENDA FUERA **MÍA** YO...MURMULLO...QUEJIDO.

BAH, AQUÍ NO HAY NADA NUEVO, LAS IMPORTACIONES SÚPER CARAS DE SIEMPRE.

...A LO MEJOR LE PUEDO REGATEAR CON ALGUNO DE ESTOS...

¡EH, AHÍ ESTÁ EL **YONQUI AQUÉL** QUE ME HABLÓ DE ESTE SITIO!

¡**SABÍA** QUE LE VERÍA AQUÍ TARDE O TEMPRANO!

¡Y VAYA **PAVA** QUE TRAE! ¡LA HOSTIA **SANTA**! ¿CÓMO SE LO **HACE**?

¿CÓMO ES QUE **YO** NUNCA CONOZCO TÍAS ASÍ? ¿DÓNDE LAS **DEBE** ENCONTRAR?

DÓNDE DEBEN **SALIR** EN ESTE PUEBLO, A LO MEJOR SUBEN A NUEVA YORK...

CUÁNTOS AÑOS TENDRÁN, ADEMÁS. NO DEBEN SER MUCHO MAYORES QUE YO, NO CREO...

SUPONGO QUE DEBEN SER **MUCHO** MÁS MODERNETES QUE YO...

...DEBERÍA ENTRARLES Y EMPEZAR A **CHARLAR**, ¡A LO MEJOR ME DEJABAN **SALIR** CON ELLOS! ¡SEGURO QUE **MOLAN** MUCHO MÁS QUE LOS **PALURDOS** CON LOS QUE **VOY**!

¡CHASQUEAR! ¡CHASQUEAR!

...PERO BAH... SEGURO QUE NI SE ACUERDA DE MÍ... SÓLO SOY UN **MOCOSO DEL INSTI**...

¡EY, TÍO!

¡¿EHAH?! ¡OH, HOLA!

ASÍ QUE SEGUISTE MI CONSEJO Y LE ECHASTE UN VISTAZO A ESTO, ¿EH?

¡OH, **SÍ**! ¡ES UNA TIENDA **GENIAL**! ¡YA VENGO AQUÍ SIEMPRE!

SÍ, EL DUEÑO ME HA DICHO QUE VIENES UN MONTÓN.

ME ALEGRA VER QUE ESTÁS CON COSAS ANTIGUAS. ¡LA MAYORÍA DE TU EDAD SÓLO LES MOLA LO QUE VEN POR LA MTV!

SÍ, ESO ES VERDAD...

¡Y TANTO! ¡LOS CHAVALES DE HOY DÍA TIENEN EL CEREBRO LAVADO! ¡HAY MUCHOS QUE HASTA VOTAN A REAGAN! ¡NO TENGO NI PUTA IDEA POR QUÉ!

...EH, ¿TE MOLA REAGAN?

¿¡QUÉ DICES?! ¡ODIO A ESE CABRÓN! ¡OJALÁ SE MURIERA YA!

UH... SÍ.

EY, ¿CÓMO TE LLAMAS?

BUDDY BRADLEY.

YO ME LLAMO JAY... OYE, ¿HACES ALGO ESTE VIERNES?

NO, ¿POR?

¿TE MOLARÍA VENIRTE A UNA FIESTA A MI CASA? NO SERÁ GRAN COSA, PERO TE LO PASARÁS BIEN.

¿UNA FIESTA? ¡OH, CLARO, SEGURO! ¡ME ENCANTARÍA PEGARLE UN REPASO A TU COLECCIÓN DE DISCOS!

¡EY, TENGO UN MONTÓN DE COSAS QUE DEBERÍAS VER!

...TEN, MI DIRECCIÓN. ES UNA CASA GRANDE Y VIEJA. PASA A PARTIR DE LAS 9.00. LA PEÑA IRÁ ENTRANDO Y SALIENDO, SUPONGO.

¡VENGA, JAY, ¡VAMOS YA!

¡...A VER SI PUEDES VENIR!

¡NO TE PREOCUPES, NO FALTARÉ!

"...J. SPANO, 1046 E... ...¡EY, ESTO ESTÁ EN RIDGEWOOD! ¡ESO ESTÁ EN EL OTRO CONDADO! ¡CREÍA QUE VIVÍA POR AQUÍ!

¡PERO YA ME LAS ARREGLARÉ PARA IR! ¡ALGO ME DICE QUE ME RECERÁ LA PENA!

54

AL OTRO DÍA, EN CLASE...

¡Y UN HUEVO!

¡¿POR QUÉ?!

¡¿A UNA FIESTA EN CASA DEL HIPPY YONQUI ÉSE?! ¿¡ESTÁS LOCO O QUÉ!?

¡QUE NO ES YONQUI! ¡ADEMÁS, YA VA BIEN ALGO DISTINTO! ¡MUCHO MEJOR QUE LA MIERDA DE FIESTAS ÉSAS DE NIÑATOS!

¡DAME UN TRAGO DE ESO!

¡EY, NO DES TANTO EL CANTE! ¡NOS PUEDE VER UN PROFE!

¡GLUG! ¡GLUG! ¡GLUG!

BAH, TRANQUI...

ENTONCES, ¿QUÉ? ¿TE VIENES O QUÉ?

¡QUE TE HE DICHO QUE NO!

¡ADEMÁS, HAY OTRA FIESTA EL VIERNES TAMBIÉN QUE PREFIERO IR!

DAME, ANDA...

¿EL QUÉ, LA FIESTA EN CASA DE LOS CACHAS AQUÉLLOS? ¡NIÑATOLANDIA!

¡SI, YA! ¡VA A SER LA HOSTIA! ¡VA TODO EL MUNDO!

¡HMPF! PUES MIRA, YO NO CREO QUE VAYA...

EH, AHÍ VA WENDY WHITMAN...

¡EY, WENDY!

¡NO LLAMES AQUÍ A LA PIJILLA ÉSA! ¡SE VA A CHIVAR!

QUÉ VA, SI ES MUY GUAY. ¡LO QUE PASA ES QUE NO LA CONOCES!

EY, TOM, ¿QUÉ LLEVAS AHÍ, UN ZUMO?

PRUÉBALO Y LO VERÁS.

¡DING!
¡DING!
¡DING!

YA SUENA LA CAMPANA...

LA CLASE DE FOTO EMPIEZA AHORA...¿TE VIENES, BRADLEY?

CREO QUE SI'...

¡VALE! ¡ASÍ PUEDES "CUIDAR" DE MÍ'!

(¡EY, BUD, ESPERO QUE TUS AMIGOS YONQUIS NO TE VEAN YENDO A CLASE CON UNA "PIJILLA"!)

BAH, MUÉRETE, SO ¢#!£·!¿!

EN CLASE...

SR. BRADLEY, ¿PUEDO HABLAR CON USTED... EN PRIVADO?

OH-OH...

¿EH? OH, SI', CLARO...

BUDDY, ¿TE CAIGO MAL?

¿QUÉ? NO, ¿POR QUÉ?

¿TIENES ALGÚN PROBLEMA CON TUS COMPAÑEROS DE CLASE?

NO, ESTÁN BIEN... ¿POR QUÉ LO DICE?

¡CREÍA QUE TE GUSTABA LA FOTOGRAFÍA! PARECÍAS INTERESADO AL PRINCIPIO, PERO LO HAS IDO DEJANDO POCO A POCO...

Y AÚN ME GUSTA... EY, ¿ESTO ES POR NO VENIR A CLASE?

¡SÓLO QUIERO SABER POR QUÉ YA NO APARECES NUNCA! SI ES POR ALGO QUE HE HECHO YO, ME GUSTARÍA QUE ME LO DIJERAS...

¡MIRE, SR. KRUGER, NO ES POR NADA, EN SERIO! ¡ES SÓLO QUE ESTA CLASE EMPIEZA DESPUÉS DE LA COMIDA, Y, BUENO...¡DESPUÉS DE COMER HAY VECES QUE PREFIERO IR A CASA Y PEGARME UNA SIESTA, ESO ES TODO!

¿SE TRATA DE ESO? ¿ESE ES TU MOTIVO?

BUENO ...¡SI'!

¡RASCAR! ¡RASCAR!

EN ESE CASO TE PONGO YA UN MUY DEFICIENTE POR TODO EL SEMESTRE, ¡ASÍ QUE NO TE MOLESTES EN VENIR EL RESTO DEL AÑO!

CREÍA QUE PODÍAMOS SER SINCEROS EL UNO CON EL OTRO...

¡PERO SI HE SIDO SINCERO!

LUEGO... ¡¿PERO TÍO, ¿QUÉ HE HE-CHO?!?! ¡¿CÓMO PUEDO HABERME DEJADO LIAR POR ESA NENITA EMPOLLONA PARA IR A UNA FIESTA QUE SÉ QUE ODIARÉ!?

BUS ESCOLAR

¡PUES PORQUE ESTÁ MUY BUENA! ¡Y YO SOY TAN GILIPOLLAS QUE ME CREO QUE PUEDE ESTAR NI REMOTAMEN-TE INTERESADA EN MÍ...!

¡EH, BRADLEY!: "¿CÓMO SE LE LLAMA A UN POLACO NEGRO?"

UNA POLAROID VELADA.

¡ARGH! ¡TE LO SABÍAS!

NOVATO

¡...PARA ELLA SERÍA UN SUICIDIO SOCIAL JUNTARSE CON CHUSMA COMO YO!

SEGURAMENTE SÓLO ESTÁ CURIOSA... QUIERE VER POR DONDE COJEA EL FREAKIE DEL INSTI...

"¿CÓMO HACES QUE BAJE UN POLA-CO MANCO DE UN ÁRBOL?"

LE SALUDAS CON LA MANO.

¡¡DOS VECES ARGH!!

...PERO NUNCA SE SABE... A LO MEJOR ADELANTO ALGO CON ELLA... POR LO ME-NOS METERLE MANO... TIENE BUENAS TETAS... BUEN MATERIAL MASTUR-BATORIO...

"¿QUÉ DICE UNA POLACA CUANDO VA A UN BANCO DE ESPERMA?"

¿TE QUIERES CALLAR YA CON LOS CHIS-TES?! ¡ESTOY INTENTANDO TENER FANTASÍAS GUARRAS!

¡PERO ÉSTE ES UN CHISTE GUARRO!: "¿QUÉ DICE UNA...?"

¡VIAJE!

¡QUE TE CALLES!

¡¡AUH!!

¡CABRONAZO! ¡ESTA VEZ ME HAS HECHO DAÑO!

MEJOR. ME ALE-GRO.

VIERNES NOCHE...

¿ESPERANDO A ALGUIEN, BUDDY?

SÍ, VIENEN A BUSCARME, VAMOS A UNA *FIESTA* ESTA NOCHE.

¿SÍ? ¿DÓNDE?

EN CASA DE UN TAL DARRYL JACKSON. DICEN QUE ESTARÁ BIEN.

¿DARRYL JACKSON? ¿ESE NO ES EL QUE GANÓ UNA *BECA COMPLETA* PARA PENNSYLVANIA?

Y YO QUÉ SÉ.

BUENO, ES EL *ATLETA ESTRELLA* DE TU CLASE, ¿NO? HE OÍDO QUE TAMBIÉN ES MUY *INTELIGENTE*...

ESO ME RECUERDA ALGO: ¿HAS ENVIADO MÁS *SOLICITUDES*?

...Y AHORA ¡EL *JUEGO DE LAS PAREJAS*!

YA LA ENVIÉ A LA *UNI COMUNITARIA*, Y ALLÍ ACEPTAN A *TODOS*, ¿PARA QUÉ VOY A ENVIAR MÁS SOLICITUDES?

¡¿*PARA QUÉ*?! ¿NO TE GUSTARÍA IR A UNA *MEJOR*? ¡TIENES QUE *JUGAR* A TODAS LAS *OPCIONES*! ¡NO TE *CIERRES TÚ MISMO*...

¡LO SÉ, LO SÉ! HEMOS TENIDO ESTA CONVERSACIÓN *MILES DE VECES*...

¡NADA DE PELEAS! ¡*NO OIGO MI PROGRAMA*!

¿...CUÁL HA SIDO EL SITIO MÁS RARO DONDE TE LO HAS PASADO CHACHIPIRULI?

VALE, VALE, CAMBIEMOS DE TEMA...

NO VAS A ESTARTE HASTA MUY *TARDE*, ¿VERDAD, BUD?

NO SÉ, PUEDE QUE SÍ, PUEDE QUE NO. ¿POR?

BUENO, SI VAS A ESTAR MÁS TARDE DE LAS 12, SERÁ MEJOR QUE DUERMAS EN CASA DE UN AMIGO, PORQUE PIENSO *CERRAR LA PUERTA CON LLAVE*. ¿ENTENDIDO?

SÍ, SÍ, CIERRA CON LLAVE... ¡OOH, ES ELLA! HASTA LUEGO...

¡¿"ELLA"?!

¡¡BUDDY TIENE UNA CITA!!

BUENO, ¿POR QUÉ NO LA INVITAS A PASAR Y NOS LA PRESENTAS...

¡NO ES UNA CITA!

MEJOR QUE NO. CHAO.

¡PORTAZO!

¡SERÁ MARIQUITA!

¡BABS!

¡ES QUE LO ES!

PREGUNTA: PARA PASARLO CHACHIPIRULI: A)...

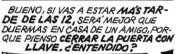

61

¡MIRA, AHÍ ESTÁ KEVIN!

¡EY, KEVIN! ¿¡QUÉ HACES AQUÍ!?

¡EY!

VAMOS, MELISSA...

PASABA POR AQUÍ Y OLÍ A CERVEZA, ASÍ QUE ME DEJÉ CAER. ¡ME ALEGRO QUE HAYÁIS VENIDO, TÍOS, NO CONOZCO A NADIE AQUÍ; Y UNA PAVA ESTÁ DICIÉNDOME TODO EL RATO DE APAGAR EL CIGARRILLO EN UN TONO MUY POCO HOSPITALARIO!...

MAL ROLLO...

EH, ¿ADÓNDE HA IDO WENDY?

QUIÉN SABE... ESTARÁ "CONGENIANDO"...

BUENO... CREO QUE HARÉ LO MISMO. ¡HASTA LUEGO!

HASTA LUEGO...

¿QUIÉNES SON ESAS TÍAS CON LAS QUE HABÉIS VENIDO?

BAAH, UNAS PAVAS...

¿DÓNDE HAY BIRRA?

LUEGO, EN UNA ESQUINA DESPEJADA...

MIRA QUÉ GILIPOLLAS PRETENCIOSOS, TODOS EN PLAN COLEGUILLAS. ¡SEGURO QUE SE ODIAN UNOS A OTROS TANTO COMO LES ODIO YO!

¡YA VES!

¡SE CREEN MIERDA Y NO LLEGAN A PEO, Y NO ME EXTRAÑA, TANTO MIMO DE LOS PROFES Y LOS PAPÁS!

ME ALEGRO DE QUE SE ACABE EL INSTI. ASÍ SABRÁN LO QUE ES EL MUNDO REAL. ¡LA VIDA LES VA A DAR BIEN POR CULO!

¡OJALÁ SE PUDRAN EN EL INFIERNO, Y LO DIGO EN SERIO!

HOLA...

SOY MELISSA, ¿RECUERDAS? ¿OS IMPORTA SI ME SIENTO AQUÍ?

¡SÍ, ME ACUERDO! (¡DIOOSS!) ANDA, SIÉNTATE. NO ESTÁ PROHIBIDO.

?

¿...POR QUÉ NO ESTÁS CON TU AMIGUITA WENDY?

ESTÁ CON LAS PRESUMIDAS DE SUS AMIGAS. LAS ODIO, SIEMPRE PASAN DE MÍ: ELLA SIEMPRE ME HACE LO MISMO.

¿Y POR QUÉ ERES SU AMIGA, ENTONCES?

¿POR QUÉ? ¡CIELOS, NOS CONOCEMOS DE SIEMPRE! ¡SOMOS COMO HERMANAS! ¡ME SERÍA IMPOSIBLE NO SER SU AMIGA!

¿QUIERES BIRRA?

NO, GRACIAS.

TÚ MISMA.

¿CÓMO QUE "PREPARADO"?

SÍ, ME, HE TRAÍDO UN CUCHILLO.

¿UN CUCHILLO!? *RESPINGO*

¿QUE TRAÉS UN PINCHO ENCIMA?!

¿PODEMOS VERLO?

¡CHIST! ¿ESTÁS LOCA?! ¿QUIERES QUE TODO EL MUNDO LO SEPA?

LO TENGO PEGADO A LA PIERNA, A MANO... POR SI ACASO ALGUIEN SE METE CONMIGO...

¡AH, ESTÁIS AHÍ!

¡OS HE ESTADO BUSCANDO POR TODOS LADOS, TÍOS! ¡MACHO, ESTA FIESTA ES UN PALO! ¡DEBERÍAMOS ABRIRNOS!

¿DÓNDE ESTÁ WENDY?

NO SÉ, ME HAN DICHO QUE SE HA ESFUMADO CON UN PAVO...

AH, ¿SÍ? ¡BUENO, QUE LE DEN!

¡PERO LA NECESITAMOS! ELLA CONDUCE, ¿RECUERDAS?

¡NO NECESITAMOS COCHE! ¡MANGAMOS UNAS CAJAS Y CRUZAMOS POR EL BOSQUE!

¿EL BOSQUE? ¡AGH!

TENÍAMOS QUE HABER IDO A LA FIESTA HIPPIE...

¡¿PERO TE VAS A CALLAR YA CON LA FIESTA HIPPIE?! ¡YA HABÍAMOS DICHO QUE NO ÍBAMOS!

EXACTO, ¡Y EN VEZ DE ESO DIJIMOS DE VENIR AQUÍ! A LO MEJOR POR UNA VEZ DEBERÍAMOS IR DONDE YO DIGO...

¿Y QUÉ VAMOS A HACER AHORA, QUEDARNOS SENTADOS DISCUTIENDO?

¡NO SÉ, PERO COMO VUELVA A OÍR ESTA CANCIÓN UNA SOLA VEZ MÁS, ME VOY A CAGAR EN ALGUIEN!

...IT'S TRICKY TO ROCK A RHYME...

EH, ¿ADÓNDE VAS?

VOY A INTENTAR MEJORAR LA MÚSICA POR AQUÍ...

OH-OH, VA A HABER MAL ROLLO...

IT'S TRICKY, TRICKY, TRICKY!

...QUITEMOS ESTA MIERDA...

¡EH!

¡RAYAR!

¿QUIÉN TE HA DICHO QUE PODÍAS CAMBIAR EL DISCO, EH? ¿¡DE QUÉ VAS!?

ESA CANCIÓN ME TENÍA AGOBIADO YA, ASÍ QUE VOY A PONER ALGO MEJOR...

¿ALGÚN PROBLEMA?

¿¡¿ALGÚN PROBLEMA?!? CHAVAL, ¡PERO QUIÉN COÑO TE CREES QUE ERES? ¡SI YO NI TE HE INVITADO! ¡¿PERO QUÉ HACES AQUÍ?!

¡ESTOY INTENTANDO PASÁRMELO BIEN, ASÍ QUE POR QUÉ NO TE APARTAS Y ME DEJAS EN PAZ!

A MÍ NO ME VACILES, PRINGADO...

¡EMPUJAR!

¡UUF!

¡PELEA! ¡PELEA!

¡EH, TÚ, DÉJALE EN PAZ!

¡PATÉALE EL CULO, DARRYL!

¿BUSCAS BRONCA O QUÉ, CAPULLO? PUES LA VAS A ENCONTRAR...

AUH...

¡TIRAR!

¡EL CUCHILLO, BUDDY! ¡SACA EL CUCHILLO!

¡EY! ¡CÁLLATE!

¡HOSTIA PUTA! ¿¡LLEVAS UN CUCHILLO?!

¡AL TANTO, DARRYL! ¡ESE TÍO ES UN ENFERMO! ¡VETE A SABER QUÉ LLEVA ESCONDIDO!

¿QUEH...?

¡TÍO, SI VAS BUSCANDO PROBLEMAS, AQUÍ LO TIENES CLARO! ¡LARGO ANTES DE QUE LLAME A LA POLI!

¡TRANQUI, YA ME PIRO!

¡GATEAR!

¡ARRASTRARSE!

¡Y LLÉVATE A LA ESCORIA DE TUS AMIGOS!

¡ESE BUDDY BRADLEY ESTÁ MAL DE LA CABEZA! ¡ME HAN DICHO QUE UNA VEZ VIOLÓ A SU MADRE!

¡NO JODAS!

¡BUENO, ESO ME HAN DICHO!

¡MACHO, QUÉ POCO HA FALTA-DO! ¡NOS PODÍAS HABER MATADO A TODOS!

¡SÍ! ¡PERO EL CUCHILLO LES ACOJONÓ DE MALA MANERA A ESOS GALLINAS! ¡NO TUVISTE NI QUE SACARLO!

YA, Y MEJOR, PORQUE EN REALIDAD NO TENGO NINGÚN CUCHILLO...

¡¿QUÉ?! ¡SERÁS MENTIROSO, CABRÓN!

¡SABÍA QUE ERA MENTIRA! ¡LO SABÍA!

¿N-NO TENÍAS UN CUCHILLO? OH, C-CIELOS...

ESO ES, SEÑORITA CRÁNEO, TE METÍ UNA BOLA...

¡PERO ESTÁ BIEN QUE SEAS TAN FELIZ, POR BOCAS CASI ME HAS SALVADO LA VIDA!

¡EH, AHÍ VIENE WENDY!

MELISSA, ¿QUÉ HACES?

NOS HAN ECHADO DE LA FIESTA.

SÍ, ¿NO LO HAS OÍDO? ¡BUDDY LES SACÓ UN CUCHILLO IMAGINARIO! ¡ESO LOS SUPERÓ A TODOS!

¡JA!

¡ECHARON A ESTOS CRETINOS, NO A TI!

¡¿"CRETINOS"?! ¡¡CREÍA QUE ÉRAMOS TUS CITAS!!

¡JUA JUA!

MIRA, YO ME VUELVO A LA FIESTA. ¿TE VIENES CONMIGO O NO?

BUENOO... SUPONGO, ¿PERO Y ELLOS QUÉ?

¡EH, NO HAY PROBLEMA! ¡VOLVEMOS, TAMBIÉN!

¡¿QUÉ?! ¿¿ID ESTÁS LOCO?!?

¡TÚ NO PUEDES VOLVER! ¿QUÉ INTENTAS DEMOSTRAR?

MIRA, ME HE DEJADO ALGO EN LA FIESTA Y SÓLO QUIERO VOLVER Y COGERLO, YA ESTÁ.

BUENO, PUES SI TÚ VAS, YO, VOY TAMBIÉN. ¡QUIERO VER CÓMO SALES DE ÉSTA!

ALGO ME DICE QUE ME VOY A ARREPENTIR DE ESTO...

¿Y TÚ QUÉ, KEV? ¿TE VIENES?

NA, ME VOY A CASA.

TÚ MISMO. NOS VEMOS.

NO ACABO DE ENTENDER A ESTE BRADLEY. A VECES ES AÚN MÁS SUICIDA QUE YO...

66

Y ASÍ...

YA ESTAMOS DE NUEVO.

PONTE FRENTE A LA CASA UN MOMENTO, ¿VALE, WEN?

¿POR QUÉ?

LO VERÁS ENSEGUIDA... MIRA ESTO...

¡ROMPER!

¿¡QUÉ HA SIDO ESO?!

¡FELIZ GRADUACIÓN, MIERDOSOS!

¡SÍ, SAL PITANDO!

¡OH, CIELOS, WENDY! ¡SALGAMOS DE AQUÍ!

¿¡QUÉ DIABLOS...?!

¡ZOOOM!

¿¡QUIÉN ERA?!

¡NO LO SÉ, NO LO HE VISTO BIEN!

¡JUA JUA JUA!

¡NO PUEDO CREER LO QUE HAS HECHO! ¿¡CÓMO HAS PODIDO SER TAN IMBÉCIL?!

SÍ, ¿ESTÁS ZUMBADO O QUÉ?

EH, ¿QUÉ PASA? ¡ESOS CABRONES SE LO MERECÍAN Y LO SABÉIS! ¿A QUÉ VIENE TANTO GRITO?

¿Y SI VIERON EL COCHE? ¡ENTONCES WENDY ES LA QUE VA A TENER PROBLEMAS! ¿HAS PENSADO EN ESO, LISTILLO?

OH, SE TRATA DE ESO, ¿EH? O SEA QUE ESTÁIS TODOS PREOCUPADOS POR VUESTRO PELLEJO, ¿ES ESO? PUES NO SUFRÁIS, PORQUE SI NOS VIERON PODÉIS ECHARME LA CULPA A MÍ: YA ME QUIEREN MUERTO IGUALMENTE, ASÍ QUE QUÉ MÁS DA.

¿ESTÁIS CONTENTOS YA? ¿SOMOS COLEGUILLAS OTRA VEZ? ¡VAMOS, ESAS SONRISAS!

¡BAH, CALLA YA!

¡YO SÍ ESTOY CONTENTA!

¡JESÚS, MELISSA!

¿Y **TÚ** QUÉ, WEN-DII? ¿NO TE ALIVIA SABER QUE TU REPUTACIÓN NO SE VERÁ MANCILLADA POR ESTE **DESAGRADABLE INCIDENTE**?

AHORA PODRÁS SEGUIR TU CARRERA DE **ANIMADORA PROFESIONAL** SIN MIEDO A UN ESCÁNDALO. ¿NO ES **GENIAL**?

SEGURO QUE PIENSAS QUE SOY UNA **PIJA**, ¿A QUE SÍ?

QUIÉN, ¿TÚ? ¡OH, NO! ¡TODO EL MUNDO SABE QUE **PRIVAR** EN LA ESCUELA ES SIGNO DE UN IN-**CONFORMISMO RADICAL**!

PARA YA, BUD.

GRR... ¡TE CREES MUY **PERSPICAZ**, PERO **NO** LO ERES TANTO! ¡HAY UN **MONTÓN** DE COSAS QUE NO SABES DE MÍ! ¡COSAS QUE **NADIE SABE**!

AH, ¿SÍ? ¿CÓMO QUÉ?

¡**SÍ, WENDY**! ¿SON COSAS QUE NI **YO** SÉ? ¿EH? ¿LO SON?!

NO NOS LO VAS A DECIR, ¿A QUE NO?

¡WENDY!

...BUENO, ¿Y AHORA ADÓNDE? NO PODEMOS SEGUIR ASÍ TODO EL RATO...

¡YO SÉ ADÓNDE QUIERE IR **BUDDY**! A ESA "**CASA HIPPIE**"...

¡EH, YO NI SIQUIERA LO IBA A **SUGERIR**!

BUENO, DEMONIOS, POR MÍ PODÍAMOS IR A VER.

¡**TOM**! ¿LO DICES EN SERIO?

¡**CLARO**! ¡DESPUÉS DE **LO** QUE NOS HAS HECHO PASAR, CREO QUE PUEDO AGUANTARLO TODO!

YO TAMBIÉN QUIERO IR A LA **CASA HIPPIE**.

¡MELISSA!

¿TE HAS **ENTERADO**, CHÓFER? ¡HASTA MISS MELISSA FELLATIO QUIERE IR! ¡YA SOMOS **TRES CONTRA UNO**!

VALE, VALE, A LA CASA HIPPIE...

¡¡YUPI!!

¿CÓMO SE LLEGA ALLÍ?

TEN LA, DIRECCIÓN...

YA ESTAMOS...

¡¿ES ESTO?!?

OLVÍDALO. NO PIENSO ENTRAR AHÍ.

¡OH, CIELOS! ¡QUÉ COCHAMBROSA!

¡YO TAMPOCO!

¡¿QUÉ?!¿AHORA DICES QUE NO? ¡DIOS, TOM.!¿¡PERO DE QUÉ TIENES MIEDO?!?

¡EH, YO HE VISTO A ESE TÍO, BUDDY, Y TIENE UNA PINTA MUY CHUNGA.!¡PERO SI ENCIMA VIVE AQUÍ, NO CONTÉIS CONMIGO.!

CONQUE ÉSAS TENEMOS, ¿NO?¿AHORA ME VAIS A DEJAR COLGADO?

PUES ME IMPORTA UN PIMIENTO, ¡YO ME QUEDO.!

YO AÚN QUIERO IR... ¡VOY A IR.!

¡MELISSA! ¡NO PUEDES IR Y SE ACABÓ.!

¿Y TÚ CÓMO VAS A VOLVER A CASA, EH, BRADLEY? ¿HAS PENSADO EN ESO?

¡ME IMPORTA UNA MIERDA.!¡YA ME PREOCUPARÉ LUEGO!

¡MIRAD, YO ME BAJO, ASÍ QUE YA PODÉIS VOLVER CON VUESTRAS MAMÁS!

¡NOS VEMOS EN CLASE, BUDDY!

SÍ, VALE.

VAYA TÍA MÁS RARA.

¡QUÉ TÍO MÁS GUAY!

¡¿BUDDY BRADLEY?! ¡¡ES UN GILIPOLLAS!!

¿...TE GUSTA EL ROCKABILLY? ¿HAS ESCUCHADO ALGO DE ÉSTOS? TRAE, QUE LO PONGO...

¡BAH, ESTOY **HARTO** DE ESA **MIERDA DE VIEJOS QUEJICAS**! ¡VAMOS A OÍR ALGUNAS CINTAS QUE HE TRAÍDO...

¿DE QUÉ ESTILO SON?

¡**SPEED METAL**! ¿QUÉ VA A SER?!

ESO, QUÉ IBA A SER...

¿QUÉ PASA, JAY? ¿**DEMASIADO PÚRETA** PARA ESTO O QUÉ?

NI ME VA NI ME VIENE. ANDA, PONLO...

¡Y **TÚ** QUÉ, CHAVAL! ¿TAMBIÉN TE **ASUSTA** EL **HARDCORE**?

ESTÁ BIEN, ALGUNAS COSAS... Y DEJA DE LLAMARME "CHAVAL".

¿QUÉ **QUIERES** QUE TE LLAME, "**CHAVALA**"? ¡¿POR QUÉ ESTÁS TAN **NERVIOSO**, ¿EH?! ¿TE **DOY MIEDO**? ¿HMM? ¡¿**CHAVAL**?!

¡**SANTO DIOS**! ¡ESTE TÍO ESTÁ PARA ATAR!

CÁLMATE, C.M. AHORA PONEMOS TU CINTA, ASÍ QUE RELÁJATE Y DISFRUTA.

...BOMB THE RUSSIANS, BOMB THE RUSSIANS...

EH, **CHAVALA**, TIENES UN **MONTÓN** DE **GRANOS**, ¿LO SABÍAS?

NO, NO LO **SABÍA**. ¡GRACIAS POR ACLARÁRMELO, **CEREBRO MONSTRUO**!

SÍ, ESE DEL MOFLETE ES UN **CABRÓN DE GRANDE**, SEGURO QUE SI LO **APRETO DUELE LA HOSTIA**, ¿NO CREES?

ESO CREES, ¿EH? BUENO, ¿POR QUÉ NO **PRUEBAS** A AVERIGUARLO?

¿EH?

¡JAJA! SÍ, ¿POR QUÉ NO APRIETAS Y VEMOS LO QUE PASA?

¡BAAH, LO HARÍA, PERO NO TENGO GANAS DE PONERME PERDIDO DE **PUS**! ¡NO VALE LA PENA, TÍO... EL JODIDO PUS... JODER...

SÍ, SÍ, SÍ...

MME MOLA TU HABITACION, JAY... ES COMO TU **PROPIO PISO**...

ES UN PISO. TENGO MI PROPIO LAVABO Y UNA COCINA PEQUEÑA AL OTRO LADO...

ESTO SOLÍA SER LA HABITACIÓN DE LA CRIADA.

¿TU FAMILIA TENÍA **CRIADA**?

SÍ, ÉRAMOS BASTANTE **RICOS** ANTES DE QUE MIS VIEJOS SE SEPARARAN.

...AHORA ESTE SITIO SE **CAE A PEDAZOS**, PERO MI MADRE NO PUEDE PERMITIRSE ARREGLARLO YA.

¿CUÁNTO HACE QUE TUS VIEJOS SE SEPARARON?

DIOS, HACE **MUCHO**. YO ERA UN CRÍO POR ENTONCES...

AUNQUE AÚN SE ME PONE LA **PIEL DE GALLINA** CUANDO LO RECUERDO...

¿POR QUÉ? ¿TENÍAN **BRONCAS FUERTES** Y ESAS COSAS?

NA, NADA ESPECIAL, PERO UNO SE DABA CUENTA DE QUE ALGO IBA MAL.

POR EJEMPLO, MI PADRE TRABAJABA EN **WALL STREET**. Y EN VEZ DE VENIRSE DIRECTO A CASA, SE PASABA LA NOCHE POR LA **CIUDAD**. Y CUANDO LLEGABA A CASA, NI SE METÍA **DENTRO** A VECES...

SE METÍA EN LA **CASETA DEL PERRO** Y DORMÍA TODA LA NOCHE AHÍ DENTRO. ¡Y LE HE **VISTO** HACERLO!

¡VENGA YA!

¡EN SERIO! ¿POR QUÉ ME IBA A INVENTAR ALGO ASÍ?

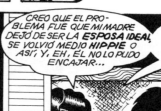

CREO QUE EL PROBLEMA FUE QUE MI MADRE DEJÓ DE SER LA **ESPOSA IDEAL**, SE VOLVIÓ MEDIO **HIPPIE** O ASÍ Y, EH, ÉL NO LO PUDO ENCAJAR...

ELLA SE METIÓ A ENSEÑAR EN UNA ESCUELA PRIVADA, Y COMENZÓ A SALIR CON **POETAS Y BEATNIKS**... ESO LA CAMBIÓ...

PERO ENTONCES YA ACABÓ DE LIAR A TODO EL MUNDO CASÁNDOSE CON **PHIL**...

¿TU **PADRASTRO**? ¿QUÉ ES, UNO DE ESOS **HIPPIES BOHEMIOS**?

¿QUIÉN, PHIL SPANO? ¡PHIL ES UN PUTO **BASURERO**!

¡ESTÁS **DE CACHONDEO**!

QUE NO... ¡QUE ERA **NUESTRO BASURERO**! ¡MI MADRE LE SEDUJO UN DÍA Y DESDE ENTONCES HAN SIDO **"PAREJA"**!

ESO SÍ ES "**AMOR AL PRIMER POLVO**". ¡JEJE!

ESO PARECE... DIOSS...

NO, SI PHIL ES GUAY. ME GUSTA... TAMBIÉN ME GUSTA MI **VERDADERO** PADRE, ES UN TÍO MAJO PERO ALGUIEN **OBSESIONADO** CON EL **DINERO** Y EL **PODER**. AHORA ES POLÍTICO... ¡DIOS, LA VIDA ES BIEN **EXTRAÑA**!

YA VES...

¡NO PUEDO CREER QUE ME ESTÉ **CONTANDO** TODO ESTO!

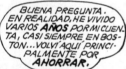

¡AH!¡EH, CUÍDATE, BUDDY! ¡PASA CUANDO QUIERAS!

¡GRACIAS, LO HARÉ! ¡CHAO!

¡ADIÓS!

GUAU...ESTOY MÁS BORRACHO DE LO QUE PENSABA...

¡LOS MARTINIS ESOS SUBEN QUE DA GUSTO!

TENGO QUE MEAR ...SALDRÉ FUERA...

¿Y ESO?

GEMMIDOOO...

¡VAYA, VAYA, VAYA, SI ES MI BUEN AMIGO "CEREBRO MONSTRUO"!

PARECE TOTALMENTE IDO. POBRE PRINGADO... ESPERA, TENGO UNA IDEA...

TEMBLORR...

QUEJIDOO...

CASTAÑETEOO...

CREO QUE ME APROVECHARÉ DE LA SITUACIÓN Y ME DESAHOGARÉ SOBRE SU CUERPO INDEFENSO...

JE, JE, JE...

¡BBAJAR!

¡RETORCER!

BLURB BLUBGBB BLUGH...

¡MACHO, ESTÁ SIN CONOCIMIENTO! ¡CUANDO DESPIERTE SE VA A CREER QUE SE LO HA HECHO ENCIMA! ¡JIA JIA JIA!

PLLLSSSSSS.

...MURMULLO. QUEJIDO...

¿QUÉ LE PASA? ¿SE ESTÁ DESPERTANDO?

MMMRRRRRMMMM GRRRRRMMBLM... JJJODDDR...

EY, AMIGO NEHTI ¿ESTÁS DESPIERTO?

UUUNNGH... LO SIENTO, MAMÁ... LO SIENTO MUCHO...

¿QUE LO SIENTE? LE MEO ENCIMA Y LO SIENTE... DEBE ESTAR SOÑANDO O ALGO...

...NO VOLVERÁ A PASAR ....LO PROMETO...

SUSPIRO ¿AHORA POR DÓNDE SE IBA A CASA? POR AHÍ, ME PARECE...

UNNGGH...

¡FÍI-UU! ¡ANDA QUE NO ME QUEDA CAMINO NI NADA!

ME OLVIDÉ LO LEJOS QUE ESTABA...

ESPERO CONSEGUIRLO...

...ESTOY BALDADO...

77

BUENO, HA SIDO UNA **TERTULIA** INTERESANTILLA, AUNQUE NO ERA EXACTAMENTE LO QUE ESPERABA...

...NADA DE **GUARRAS** COMO PENSABA, PERO IGUALMENTE HA ESTADO MEJOR DE LO QUE ESTOY ACOSTUMBRADO...

JAY PARECE UN TÍO MAJO... UN POCO RARO, PERO LE VAN UN MONTÓN DE **COSAS GUAYS**...

DEBERÍA HACERLE CASO Y PASARME MÁS A MENUDO, PERO NECESITO PRIMERO UN **COCHE**... VIVE DEMASIADO LEJOS...

¡PERO PARA COMPRAR UN COCHE NECESITO UN **TRABAJO**, Y PASO DE CURRAR EN UNA HAMBURGUESERÍA!

AGH... SÓLO DE PENSAR EN EL FUTURO ME DAN **NÁUSEAS**... CREO QUE VOY A **ECHAR LA POTA**... SERÁ MEJOR QUE ME SIENTE UN RATO...

¡URP! OH... NO SALE NADA...

ME TIRARÉ AQUÍ HASTA QUE SE ME PASE...

ESTOY **HECHO POLVO**, NO SÉ SI VOY A PODER LEVANTARME LUEGO... ¡OJALÁ ALGUIEN ME LLEVARA EN **COCHE**!

...ME MOLA CÓMO ESOS TÍOS ME DEJARON **COLGADO** EN EL ÚLTIMO MINUTO... ¡**PUTO TOM**! ¡VAYA **MARICONAZO**!

Y A LA WENDY ÉSA TAMPOCO LA ENTIENDO... LA **SEÑORITA PERFECTA**, PERO QUIERE QUE ME CREA QUE EN EL FONDO ES UNA REBELDE...

QUIERE SER **LAS DOS COSAS**, PERO ESO NO PUEDE SER... ¡O ESTÁS EN EL **ROLLO** O ESTÁS FUERA!

¿PERO A QUE **MOLARÍA** QUE LA TÍA VOLVIERA A RECOGERME? ¿NO MOLARÍA QUE ESTE COCHE FUERA EL SUYO Y QUE ME ANDUVIERA BUSCANDO?

¡EH, ESE COCHE VIENE **DIRECTO HACIA MÍ**! ¡A LO MEJOR **ES** ELLA Y TODO! ¡A LO MEJOR, A LO...

...OH, MIERDA...

¿QUÉ HACES SENTADO EN ESE CÉSPED, HIJO? ¿VIVES AQUÍ?

NO... YO, EH, VENGO DE UNA FIESTA Y, EH...

UNA FIESTA, ¿EH? ¿DÓNDE? ¿AQUÍ? YO NO HE VISTO NINGUNA FIESTA POR AQUÍ...

NO, AQUÍ NO, EH... VERÁ, ME QUEDÉ SIN COCHE, ASÍ QUE IBA CAMINANDO HACIA CASA, PERO PENSÉ QUE ERA EL QUE ME LLEVABA QUE VOLVÍA...

TE HAN DEJADO PLANTADO, ¿EH?... D.N.I.?

SÍ, CLARO, AQUÍ ESTÁ...

HMM... PASSAIC COUNTY. ESO ESTÁ UN POQUILLO LEJOS, ¿NO CREES? ESPECIALMENTE A ESTA HORA DE LA NOCHE...

OH, PUEDO LLEGAR...

¿SEGURO? ¿NO QUIERES QUE TE LLEVEMOS?

¡NO! NO, GRACIAS, PUEDO IR ANDANDO, NO HAY PROBLEMA...

BUENO, ESO ESPERO. VAMOS A PASAR POR ESTA CARRETERA DENTRO DE UN RATO, Y NO QUIERO VERTE SENTADO OTRA VEZ EN UN CÉSPED PRIVADO, O HACIENDO CUALQUIER OTRA COSA...

TE PODRÍAMOS EMPLUMAR POR VIOLAR LA PROPIEDAD PRIVADA, ¿ENTENDIDO?

SÍ... QUIERO DECIR, SÍ SEÑOR.

¡"PROPIEDAD PRIVADA"! ¡¡ANDA, ACOSTÁOS YA!!

¿ES QUE YA NO SE PUEDE IR POR LA CALLE TRANQUILAMENTE?

¡PUTOS CERDOS! ¡¿DE QUÉ VAN PARA ESTARME ACOSANDO?!

MUCHO DESPUÉS...

¡FÍU! ¡POR FIN EN CASA. QUÉ GANAS DE TIRARME A LA CAMA.

¡CERRADA! ¡MIERDA! ¡LO OLVIDÉ! ¿QUÉ VOY A HACER AHORA?

¡SACUDIR! ¡SACUDIR! ¡MENEAR!

A LO MEJOR PUEDO ENTRAR POR LAS VENTANAS DEL SÓTANO...

LUEGO... MIERDA... NADA QUE RASCAR. ESTOY TIRADO AQUÍ FUERA.

BRRR... ¡QUÉ RASCA! ¡ESTOY MUERTO! ¡Y HECHO UNA MIERDA!

¡RECHINAR! ¡RECHINAR!

¡NO PODÍA HABER ACABADO PEOR!

¿CÓMO VOY A DESCANSAR NADA ASÍ?

A LO MEJOR EL COCHE ESTÁ ABIERTO...

MALDICIÓN. CERRADO.

INTENTARÉ FORZARLO...

AQUÍ TIENE QUE HABER ALGO QUE PUEDA USAR...

¡¡¡EUREKA!!!

UGH... UMPH... MIERDA...

¡AAH!

¡SALTAR!

¡TIRAR!

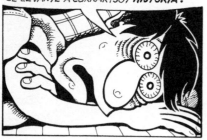
¡AAAH, POR FIN PUEDO APOYAR EL TARRO! PERO SERÁ MEJOR QUE NO ME DUERMA... ¡EL SOL YA ESTÁ SALIENDO, Y COMO MI PADRE ME ENCUENTRE AQUÍ CUANDO SE LEVANTE A CURRAR, SOY HISTORIA!

NO, ME QUEDARÉ AQUÍ UN RATO CONTANDO LOS MINUTOS... HASTA QUE AMANEZCA... Y LUEGO... YO...

ZZZZZZZZZ...

A LA MAÑANA...

¡¡ZZZzzZARGH!! ¡¿EH?! ¡EH! ¿¡DÓNDE ESTOY?!?

¡NO ESTOY EN CASA! ¡ESTO ES EL CURRO DE MI PADRE! ¡¿CÓMO HE LLEGADO AQUÍ?!

¡PAPÁ DEBE HABER VENIDO A TRABAJAR MIENTRAS YO DORMÍA EN EL SUELO DEL ASIENTO DE ATRÁS!

¿PERO POR QUÉ NO ME DESPERTÓ? ¿SERÁ QUE NO ME HA VISTO?

¡SUPONGO QUE HABRÁ SIDO ESO! ¡GUAU, QUÉ SUERTE! ¡ME HA IDO POR UN PELO!

¡PAPÁ ME HUBIERA MATADO SI ME PILLA AQUÍ!

Y AHORA A LO PRINCIPAL, QUE ES SALIR DE AQUÍ SIN METERME EN UN LÍO...

¡DIOS, ESTOY TAN RESACOSO QUE NO PUEDO NI CAMINAR RECTO!

¡ESPERO NO ESTAR DANDO MUCHO EL CANTE!

EH, BRAD, HAY OTRO PORDIOSERO PASEÁNDOSE POR EL PARKING OTRA VEZ...

...ESTOS TÍOS CADA VEZ PARECEN MÁS JÓVENES... ÉSTE NO PUEDE TENER MÁS DE 21... ALGUIEN DEBERÍA HACER ALGO CON ELLOS...

LO QUE DEBERÍAN ES VOLVER A HACER LA MILI OBLIGATORIA...

FIN

¿DE DÓNDE VIENE TANTO ODIO?

ODIO

BUDDY Y LOS BRADLEY

MUNDO IDIOTA: